ZAKBOEKJE NATUUR

MIJN HAMSTER

Jean Cuvelier
Vertaling Wim Sanders

Illustraties Sandrine Lefebvre
en Frédéric Pillot

Biblion U

Hoe gebruik je dit boekje?

Dankzij het handige formaat kun je dit boekje overal meenemen en makkelijk inzien als je je huisdiertje aan het verzorgen bent.

Groot feest: je ouders vinden het goed dat je een knaagdier als huisdier neemt. Maar het is bepaald geen pluche speelgoedbeest! Je moet hem regelmatig te eten en te drinken geven en zijn kooi verschonen, kortom, je moet elke dag voor hem klaarstaan, ook in de vakanties. Ook moet je van tevoren bedenken of het diertje wel bij je past, want er zitten zeker nadelen aan. Kun je die verantwoordelijkheid aan, dan beleef je zeker veel plezier aan je nieuwe kameraadje!

Algemeen

Informatie over de afkomst van het diertje, de verschillende soorten, hun karakter en gedrag. Op grond van deze gegevens kun je tot de juiste aanschaf overgaan.

In huis

Informatie waarmee je de komst van je nieuwe vriendje goed kunt voorbereiden. Welke kooi moet je nemen, waar zet je die en wat is de beste bodembedekking?

Inhoudsopgave

Op de laatste bladzijde vind je een register waarin je snel de begrippen kunt opzoeken.

Dit boekje is om je vriendje beter te leren kennen. Bij ieder dier behandelen we 5 thema's.

Het voeren

Hoeveel eet hij dagelijks? Wat voor voer mag hij hebben en hoeveel? En wat mag hij zeker niet eten?

De voortplanting

Knaagdieren planten zich heel snel voort en je moet daarom goed nadenken voordat je ze kinderen laat krijgen. Sommige knaagdieren kunnen niet samenleven en moeten zo snel mogelijk worden gescheiden nadat de paring heeft plaatsgevonden. Er zijn ook wijfjes die niet willen dat je hun jongen aanraakt. Die moet je enkele weken met rust laten.

Knagende kameraad

Hoe maak je het diertje handtam? Hoe leer je hem op zijn naam te reageren? Wat moet je in huis hebben om hem goed te verzorgen? Moet je hem regelmatig borstelen of zijn nagels knippen?

Schadelijk voor gewassen

De gewone hamster maakt graag gaten. Zijn hol bestaat uit met gangen aan elkaar verbonden kamers die een eigen functie hebben (slaapzaal, voorraadkamer, toilet). Boeren zijn niet zo dol op zijn talenten als holbouwer en vooral niet op zijn grote eetlust. Er wordt al heel lang op hem gejaagd en hij staat op punt van uitsterven.

Even voorstellen:
de hamster

Hamsters zijn kortpotige knaagdieren met een staart. De gewone hamster is het grootst, maar in tegenstelling tot zijn soortgenoten kun je die nooit tam krijgen. In Europa komt hij veel voor, hij wordt hooguit 40 cm lang.

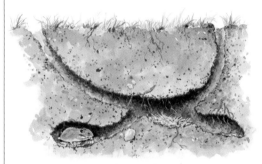

Hol van een hamster

Winterslaap

Zodra de winter begint, verstoppen ze zich in hun 2 m onder de grond gelegen hol. Hun lichaamstemperatuur zakt en ze vallen in een diepe slaap. Regelmatig worden ze wakker om iets van hun voorraad te eten en om hun behoefte te doen. Zodra in de lente de aarde warm wordt, steken ze hun spitse snuit weer naar buiten.

Ogen groter dan de maag

Hamsters zijn op het ergste voorbereid. Ze kunnen zo'n 90 kg aan wintervoorraad verzamelen. Maar het merendeel rot weg in hun provisiekamer omdat ze er vrijwel niets van eten.

Wangzakken

Met hun wangzakken (de zakken tussen zijn wangen en kaken) vervoeren hamsters hun voedsel. In hun voorraadkamer legen ze de zakken door het voedsel er met hun voorpoten uit te duwen.

wangzak vol voedsel

Keus genoeg

Er zijn veel soorten hamsters: kortharige (de goudhamster, de crèmekleurige, de albino of de gevlekte), zijdeachtige langharige of hele kleine (de dwerghamster). 4 Weken is de ideale leeftijd om er een te nemen. Eén is genoeg: een hamster is een verstokte solitair.

Syrische hamsters of goudhamsters

De bekendste hamsters. Ze zijn ca. 15 cm lang en wegen zo'n 150 gr. Ze hebben kleine ronde en vliezige oren. Bij hun spitse snuit groeien lange snorharen: de tastharen. Hun ogen zijn groot en zwart, rug en flanken goudbruin, borst en buik wit. Een goede hamster om mee te beginnen; sterk en makkelijk te verzorgen.

Crèmekleurige hamster

Crèmekleurige hamsters

Effen bruine vacht, op de buik iets lichter. De rustigste hamsters.

Goudhamster

Russische dwerghamster

Russische dwerghamsters

De meest gangbare dwerghamsters. 10 cm lang en 40 gr. zwaar. Over hun grijzige of bruinige rug loopt een zwarte lengtestreep. De buik is lichtbeige. Vriendelijk en rustig, maar ze laten zich niet graag oppakken.

Albinohamsters

Volledig witte vacht, rode ogen en roze oortjes, uiterst lichtgevoelige ogen.

Gevlekte hamster

Albinohamster

Gevlekte hamsters

Een uitzondering met hun rood, bruin, beige, grijs of zwart gevlekte witte vacht. Fijngebouwd en schrikachtig.

Waar zet je de kooi?

Zet de kooi in een stil hoekje uit de tocht of de zon.
De kamertemperatuur moet tussen de 18 en 22 graden C blijven.

Klaar voor zijn komst

Om je nieuwe vriend te ontvangen, moet je een verblijf op maat installeren. Je kunt kiezen uit een terrarium of een metalen kooi. Deze moet minstens 70 cm lang, 40 cm diep en 50 cm hoog zijn. Hoe groter de kooi, hoe gelukkiger de hamsters.

Hamster die van stukjes papier een nest maakt.

plastic buis

trapje

Gemak dient de hamster

Hamsters willen een schuilplaats om in te slapen en de jongen groot te brengen. Geef ze voor hun gemak stukjes papier. Niet iets van stof, want als ze dat eten, raakt hun maag van streek.

Een ontsnappingskunstenaar

Hamsters zijn ware ontsnappingskunstenaars. Als je ze niet het hele huis achterna wilt jagen, moet je een kooi nemen waarvan de spijlen niet verder dan 1 cm (bij dwerghamsters 5 mm) uit elkaar staan.

Een fervent sporter

Laat de hamster iets van zijn vroegere wilde bestaan ervaren door van doorzichtige plastic buizen, stevig karton of hout een hol bouwen. Zijn behoefte aan beweging bevredig je met trappetjes en een tredmolentje die je stevig aan de kooi vastmaakt. Met een laag stro van 8 à 10 cm kan hij zijn talent als holengraver botvieren. Verschoon het stro minstens 1 keer per week.

Welk voer?

Hamsters zijn omnivoren ofwel alleseters.
In het wild eten ze granen, loof, groenten,
vruchten, insecten en wormen.

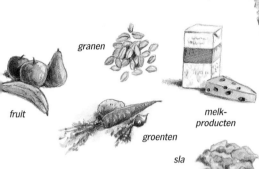

granen

fruit

*melk-
producten*

groenten

sla

Gevarieerd menu

De basisvoeding bestaat uit verschillende
granen (tarwe, gierst, boekweit, havervlokken,
zonnebloempitten). Vul dit menu aan met fruit,
groenten, sla, kaas, melk en meelwormen.
Geef ze niet vaker dan 1 of 2 keer per
week gehakt of een hardgekookt ei en
nooit etensrestjes of chocola, zelfs
niet als je hamster er dol op is.

*meel-
wormen*

Matige drinkers

Syrische hamsters komen
oorspronkelijk uit droge
gebieden en drinken daarom
niet veel. Ze moeten wel
altijd vers water hebben.

chocola

De tanden gebruiken

Ze moeten hun
tanden gebruiken.
Geef ze daarom
walnoten, hazelnoten,
droge broodkorsten,
harde takjes of een
knaagsteen.

Hooi: comfortabel goed voor de spijsvertering

Hooi is goed voor de
spijsvertering.
En hamsters kunnen er
ook uitstekend nesten
mee bouwen.

Nachtelijk eters

Hamsters eten 's avonds en 's nachts.
Vul daarom de etensbak vlak voordat jij
naar bed gaat. Controleer regelmatig de
provisiekamer en haal het bedorven
voedsel weg. Zit de kamer steeds vol,
verminder dan de dagelijkse portie.
Anders wordt je hamster veel te dik!

Een hamster wordt moeder

Wijfjes zijn na anderhalve maand geslachts-rijp, mannetjes een maand later. De dracht (of zwangerschap) is heel kort: ca. 17 dagen.

Rust

Stoor een wijfje niet als ze drachtig is en als ze haar jongen grootbrengt. Sommige te jonge of bange wijfjes eten anders uit angst hun eigen kindjes op.

Samenwonen? Liever niet...

Behalve in de paartijd wonen hamsters liever niet samen. Voor alle zekerheid bied je het mannetje een wijfje in zijn kooi aan. Gaan ze vechten, haal dan het wijfje er weer uit en biedt haar de volgende dag aan. De dekking gebeurt 's nachts. Zodra deze heeft plaatsgevonden, haal je het mannetje en het wijfje weer bij elkaar weg.

Mannetje maakt kennis met het wijfje

Roze kleintjes

Het werpen duurt een half uur tot een uur en gebeurt gewoonlijk 's nachts. De nieuw-geborenen wegen niet meer dan 2 gr. en zijn kaal, blind en doof. Hun haren komen tegen de 6de dag tevoorschijn en hun ogen gaan tegen de 15de dag open. Het zogen duurt zo'n 3 weken.

Een hamster krijgt makkelijk jongen. Een wijfje kan per jaar maximaal 8 worpen van 5 tot 12 jongen doen.

wijfje

mannetje

Mannetje of wijfje?

De afstand tussen de anale en genitale opening is bij een mannetje veel groter.

Vriendje hamster

Hamsters zijn vriendelijke dieren die leuk zijn om naar te kijken. Met wat geduld en veel liefde win je makkelijk hun genegenheid. Ze worden ongeveer 3 jaar. Dwerghamsters leven veel korter.

Kijk uit, hij bijt!

Hamsters hebben geen agressief karakter, maar bij onverwachte bewegingen bijten ze meteen. Trek bij het optillen uit voorzorg handschoenen aan. Pak hem met één hand en leg je duim en wijsvinger om zijn buik. Hou hem niet te stevig vast.

handschoenen tegen beten

lekkernijen om hem tam te maken

Hoe maak je hem tam?

Voordat je begint de hamster tam te maken, laat je hem een paar dagen aan zijn nieuwe huis wennen. Biedt hem tussen je vingertoppen meteen een lekkernij aan (fruit, groenten, brood) en spreek zachtjes zijn naam uit. Een lekkerbek als de hamster komt zeker het knabbeltje uit je hand oppeuzelen. Maak van de gelegenheid gebruik en aai hem voorzichtig over zijn flanken.

Nachtelijke bezigheden

In tegenstelling tot een mens slapen hamsters overdag en worden ze bij het vallen van de nacht actief. Je kunt het beste 's avonds met hem spelen. Als je een lichte slaper bent, moet je zijn kooi niet in je slaapkamer zetten.

Altijd een schone vacht

Hamsters maken iedere ochtend na het wakker worden hun toilet. Langharige hamsters moet je elke dag borstelen.

Schade aan gewassen

In het wild vreten konijnen alle planten op die binnen hun bereik liggen. In landen waar ze geen natuurlijke vijanden hebben, zoals in Australië, brengen ze aanzienlijke schade aan de gewassen toe.

Even voorstellen: het dwergkonijn

Konijnen zijn geen knaagdieren, ze behoren tot de orde van de Lagomorpha. Het grote verschil is dat konijnen 4 doorgroeiende snijtanden in de bovenkaak hebben en knaagdieren 2.

Pooldwerg

Helemaal zacht

Hun korte en gedrongen lijf eindigt in een klein staartje dat onder een dichte vacht verborgen ligt. Met hun lange en gespierde voorpoten kunnen ze grote sprongen maken. Hun korte rechte afgeronde oren (behalve bij hangoordwergen) draaien bij het minste gerucht alle kanten uit. De grote ronde ogen benadrukken hun vriendelijke karakter. Met de altijd snuffelende neus en sterk ontwikkelde reukzin bespeuren ze je van verre.

Dezelfde voorouder

Huiskonijnen hebben een gemeenschappelijke voorouder: het wilde konijn. Deze stamvader leeft in goed georganiseerde groepen. Ze graven holen die via gangen met elkaar verbonden zijn. Overdag liggen ze lekker warm in hun met plukken haar beklede nest, 's avonds gaan ze buiten op voedseljacht. Honkvast als ze zijn gaan ze nooit te ver uit de buurt van hun hol.

Wild konijn

Verschillende rassen

Dwergkonijnen zijn pas sinds kort in de mode. Aan het eind van de 19e eeuw werden ze in Engeland uit een klein slag konijnen uit Polen gefokt en de Pooldwerg is het eerste alom bekende dwergkonijn. Het beste kun je er een van 8 weken oud nemen.

Pooldwergen of Hermelijns

Ze hebben een kortharige dikke en zachte pels. Hun vacht is net zo wit als van een hermelijn. De ogen zijn rood (een echte albino) of lichtblauw. Hun rechtopstaande oortjes zijn niet langer dan 6 cm. Ze wegen maximaal 1,5 kg.

Hangoor dwerg

Dwerghangoren

Hun vacht is langer dan gemiddeld. Dit grootste dwergkonijn kan 2 kg zwaar worden. De lange oren hangen langs hun kop.

Kleurdwergen

Afgezien van de kleur zijn ze bijna identiek aan de Pool. Er bestaan veel éénkleurige variëteiten (zwart, grijs, vaalrood, bruin) en soorten met eigen tekeningen en patronen.

Satijndwerg

Rexdwergen en Satijndwergen

Rexdwergen hebben een kortharige, dichte en fluweelzachte glanzende vacht, satijndwergen een zachte zijdeachtige vacht.

Angoradwergen

Hebben over hun hele lijf een langharige (minstens 7 cm) zijdeachtige vacht. Voorhoofdsbeharing en de bakkebaarden bedekken de hele kop. Ze worden hooguit 1,7 kg.

Angoradwerg

Kleur-dwerg

Eén of meer?

Als je hem maar genoeg aandacht geeft, kunnen dwergkonijnen goed alleen leven. Twee mannetjes in één kooi, dat wordt gegarandeerd knokken. Ook een mannetje en een wijfje passen niet altijd bij elkaar. Twee wijfjes die met elkaar zijn opgegroeid kunnen vaak goed met elkaar overweg.

Rexdwerg

Huisvesting buiten

Een hok is minimaal 1,50 m lang en 60 cm diep en hoog en is in 2 vakken verdeeld. Het grootste vak (2/3) is de eetkamer, die aan de graskant d.m.v. een groot traliewerk open is. In het kleinste, geheel afgesloten vak bevindt zich de slaapkamer. Sluit het traliewerk bij een stevige kou of een heftige regenbui af met een dikke doek.

Klaar voor zijn komst

Dwergkonijnen kunnen in huis wonen, maar ook in de tuin of op het balkon. In alle gevallen moet je ervoor zorgen dat hun hok of kooi op een rustige plaats staat, uit de koude wind of hete zon.

Kooi buiten

Kooi binnen

Huisvesting binnen

Hoe groter het hok, hoe gelukkiger het konijn. Voor één konijn moet de kooi minimaal 60 lang bij 40 diep en 40 hoog zijn. De meeste kooien hebben spijlen en een plastic kuip. Om zijn urine op te vangen bedek je de bodem met stro dat je een paar keer per week ververst.

Een warm nest om te slapen

De binnenkooi moet een schuilhut hebben waarin een konijn kan slapen en zijn jongen kan grootbrengen.

plankje van 20 x 30 cm

plankje van 20 x 20 cm

gat van 10 cm

❶ Zaag 2 houten plankjes van 20 bij 20 cm en 3 van 20 bij 30 cm

❷ Zaag uit een van de grote planken een rond gat van 10 cm dat als ingang kan dienen.

❸ Zet de 4 plankjes met spijkers (of niet giftige lijm) zo in elkaar dat er een kastje ontstaat. Maak als laatste het plankje dat als deksel dient met een scharnier vast. Zo kun je het nest eenvoudig controleren en schoonmaken.

Wat geef je het konijn te eten?

meloen

Konijnen zijn herbivoren: ze eten alleen planten. Hun wilde voorvader eet gras, wortels en graankorrels.

klaver

hooi

appels

Een grote dorst

Konijnen drinken ca. 150 ml water per dag. Hoe droger het voer, hoe groter de dorst. Zorg er daarom voor dat je konijn altijd vers water heeft.

schoteltje water

zoetigheid

Traditioneel of kant en klaar

Een traditioneel maal van een konijn bestaat uit groenvoer (hooi, klaver, gras), gewassen en gedroogde verse groenten (biet, peen, kool), geplette graankorrels (tarwe, haver, gerst en maïs) en fruit (appels, peren, meloenen) Als je geen tijd hebt om voor hem zo'n maaltijd te bereiden, geef hem dan korrels voor konijnen (ca. 50 gr. per dag) en hooi. Geef hem 's ochtends een kleine portie en 's avonds een grote maaltijd. Nooit etensresten of zoetigheid!

Is het normaal dat mijn konijn zijn eigen keutels opeet?

Ja, dat is normaal. Hij eet ze niet allemaal op, alleen de zachte, want daarin zitten de vitamines en eiwitten.

maïs

gerst

snijtanden

Let op het gebit

Hun snijtanden groeien door. Als ze deze niet gebruiken, zitten ze bij het eten in de weg. Om dit te voorkomen moet je ze een knaagsteen, droog brood of de tak van een fruitboom geven.

Moeder en kinderen moeten rusten

Raak de kleintjes de eerste 2 weken niet aan. Zeker als het voor de moeder haar eerste bevalling is geweest, is de kans groot dat ze de jongen verstoot of, erger nog, opeet.

Niet zo vruchtbaar

Dwergkonijnen krijgen per worp hooguit 2 tot 3 jongen. Een paar dagen voordat ze bevalt, trekt de aanstaande moeder haar buikharen uit om een lekker warm nest te maken.

Mannetje of wijfje?

Wijfjes zijn in het algemeen kleiner. Om te bepalen van welk geslacht een jonkie is, moet je hem op zijn rug leggen en voorzichtig de genitale opening blootleggen. Het mannetje heeft een penis het wijfje een spleetje.

Het konijn wordt moeder

Let erop dat een konijn minstens 6 maanden oud is voordat je hem laat jongen. Wijfjes kunnen zich het hele jaar voortplanten, maar de lente is de beste tijd. Zet het wijfje voor het dekken in de kooi van het mannetje. De dracht duurt ca. 1 maand.

Moeder konijn trekt haar buikharen uit voordat ze haar jongen baart.

Zeven weken en dan zijn ze groot

De jongen worden normaal gesproken 's nachts geboren. Ze worden 1 à 2 keer per dag gespeend. Aan het einde van de 1ste week hebben ze al een donsvacht. Hun ogen gaan na zo'n 10 dagen open en hun oren 2 dagen later. Na zo'n 3 weken verlaten ze het nest en eten vast voedsel. Na 6-7 weken zijn ze zelfstandig.

wijfje   mannetje

Vriendje konijn

Met zijn donszachte vacht is een dwergkonijn een verrukkelijk vriendje. Hij kan 7 jaar oud worden.

abbel krabbel

Aai hem zo vaak als je wilt

Als je goede vriendjes met hem wilt worden, aai hem dan heel vaak, vooral achter zijn oren. Voordat je hem te eten geeft, roep je hem bij zijn naam. Zo leert hij die te herkennen.

Beweging is goed voor zijn gezondheid

Konijnen moeten dagelijks in beweging komen. Voordat je de jouwe vrij laat rondlopen in huis, moet je de elektriciteits-draden verstoppen en de groene planten veilig weg-bergen. Hij knaagt aan alles wat binnen zijn bereik komt. Hou ook de hond of kat in de gaten: ze kunnen hem doodsangsten bezorgen door achter hem aan te jagen.

Let op zijn nagels en borstel zijn vacht

Behalve als hij veel beweging krijgt, moet je regelmatig zijn nagels bijknippen. Konijnen zijn bijzonder schoon op zichzelf, ze maken elke dag toilet. Stop ze nooit in bad: grote kans dat ze een kou oplopen. Borstel ze elke dag: hun vacht blijft mooi en ze vinden het heerlijk!

Katten en honden vormen voor dwergkonijnen een echt gevaar.

Kijk uit, zwakke oren!

NEE

JA

Trek hem nooit aan zijn oren omhoog, hij vergaat van de pijn!

Pak hem met één hand bij zijn nekvel en ondersteun met de andere hand zijn achterste. Je kunt hem ook oppakken door één hand onder zijn borst te leggen en de andere onder zijn kruis.

Een lief karakter

Huisratten zijn absoluut niet zo agressief als hun wilde soortgenoten. Hoewel schuw zijn ze heel nieuwsgierig.

Even voorstellen: de rat

Ratten en muizen behoren tot dezelfde familie. Maar de rat heeft een veel slechtere naam dan zijn neefje.

tasthare

Portret

Zijn kloeke lijf eindigt in een lange kale ringstaart. Hij is ongeveer 45 cm lang, waarvan 20 cm staart. Zijn gewicht schommelt tussen de 250 en 500 gr. Op zijn kop met kleine oogjes staan 2 korte oortjes. Om zijn granaatvormige snuit groeien dunne snorharen: de tastharen.

Een weinig smakelijke afkomst!

De bruine rat, zijn oorspronkelijk uit Azië afkomstige voorouder, is in de Middeleeuwen naar Europa gekomen. Sindsdien heeft hij de hele wereld veroverd. Hij leeft het liefst in een vochtige omgeving (kelders, afwateringsbuizen) en dankt daaraan de naam rioolrat. Hij eet van alles, maar vooral dierlijk eten. En hij is dol op huisvuil!

Wakkere zintuigen

Met hun uitstekende gehoor zijn ze op het minste gevaar bedacht, dankzij hun verfijnde reuk vinden ze tijdens het zoeken naar voedsel makkelijk de weg terug en hun tastzin is zo sterk ontwikkeld dat ze zich moeiteloos in het donker kunnen verplaatsen.

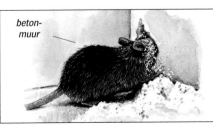

beton-muur

Verstokte knagers

Niets is tegen hun knaag-behoefte bestand. Om in een graansilo te komen, kunnen ze elektriciteitsdraden doorknagen en zelfs een gat in beton maken.

Eénkleurige rat

Verschillende rassen

Er bestaan honderden rattensoorten: één-
(zwart, grijs, bruin) of tweekleurige.
De witte rat die in laboratoria voor
proeven wordt gebruikt is de
bekendste. Zijn ogen zijn rood
(albino) of lichtgekleurd.

Tweekleurige rat

Makkelijk tam te krijgen

Ratten zijn veel intelligenter dan de andere knaagdieren. Ze zijn rustig, makkelijk tam te krijgen en
heel trouw. Als je ze een plezier wilt doen, moet je
ze vrij in het huis laten rondrennen. Haal zorgvuldig
alles weg wat gevaar kan opleveren, vooral
elektriciteitsdraden, en stop de gaten dicht waar ze
in zouden kunnen sluipen. Als ze niet in hun kooi
terugwillen, hoef je alleen het deurtje open te laten
en uit de kamer te gaan. Uiteindelijk komen ze altijd
terug.

Eén of meer?

Neem er alleen één als je
er veel tijd voor kunt
vrijmaken, want een rat
houdt van gezelschap.
Kies een vrouwtje: deze is
liever en stinkt minder.
Wil je er meer:
2 mannetjes of 2 wijfjes
kunnen uitstekend
samenleven. Mannetjes
en wijfjes ook, maar
reken er dan wel op dat
er talloze nakomelingen
zullen worden geboren.

Hoe pak je hem op?

Grijp hem bij zijn lijf
en zet hem voorzichtig
in de holte van je
hand. Pak hem nooit
bij zijn staart of
nekvel.

Hoe oud moet hij zijn?

Neem hem als hij
4 weken oud is.
Een rat in gevangen-
schap leeft gemiddeld
3 jaar, maar er zijn er
ook die 7 worden.

Veelvraat met vooruitziende blik

Ratten hebben de hinderlijke neiging te dik te worden. Hou zijn gewicht in de gaten en verklein zo nodig zijn porties. Instinctmatig legt hij een reserve-voorraad aan. Om rotting te voorkomen moet je deze voorraad regelmatig weghalen.

De inrichting van de kooi en de voeding

Ratten zijn al tevreden met een kleine kooi waarin wat spelletjes (een tredmolen, een trapje) staan, zeker als ze de hele dag vrij door het huis mogen rennen. Zet de kooi niet in je slaapkamer. Ze worden bij het aanbreken van de dag heel actief en maken je dan wakker. Kies een rustig plekje uit de tocht, want ratten vatten snel kou.

Het diner van een alleseter

Hun menu bestaat uit groenten (worteltjes, tomaten), loof, granen (tarwe, gerst, haver), fruit (appel), oud brood, melk, kaas, eieren, vlees en vis. Geef je rat 's ochtends een klein beetje te eten en 's avonds de grote portie. In de praktijk kun je hem ook een volledige hamstermaaltijd met wat vers voer geven. Hij moet altijd voldoende vers en schoon water hebben. Geef hem ook een boomtak (hazelaar, wilg) of een knaagsteen, want hij moet zijn tanden gebruiken. Eén keer in de week moet hij een stukje houtskool om te voorkomen dat zijn darmen van streek raken.

Een hecht gezin

Mannetjes en wijfjes blijven tijdens de dracht bij elkaar en brengen samen de jongen groot.

Een schone bodem

Zijn urine verspreidt een scherpe geur en daarom moet je de bodem minstens 2 keer per week verschonen. Houtkrullen zijn ideaal voor het absorberen van urine. Gooi er wat droog hooi bij, zodat hij een lekker zacht nest kan bouwen.

Voortplanting

Ratten zijn na
2 maanden geslachtsrijp.
Wijfjes kunnen altijd
jongen krijgen tot aan
8 worpen met 6 tot
15 baby's per jaar.
De dracht duurt zo'n
3 weken.

Eerst kennismaken

Zet de kooien van het wijfje en mannetje tegen elkaar zodat ze elkaars geur kunnen opsnuiven. Zodra ze aan elkaar gewend zijn, breng je ze bij elkaar. Maak in de kooi van de geliefden uit voorzorg een schuilplaats. In geval van ruzie kan een van hen zich verschuilen.

Copulerende ratten

Naakt, blind en doof

De jonge felrode ratjes zijn bij hun geboorte naakt, blind en doof. Ze wegen tussen de 5 en 7 gr. Ze zijn heel gevoelig voor kou en rollen zich daarom op in hun nest. De 3de dag gaan de oren open. Na 10 dagen zijn ze behaard. Tussen 12de en 16de dag kunnen ze zien. Na 4 weken kunnen ze zonder de moeder.

Nachtelijke bevalling

De bevalling is vaak 's nachts. In de regel duurt deze hooguit een uur.

Mannetje of wijfje?

De afstand tussen de anus en geslachts- organen is bij het mannetje aanzienlijk groter. Het wijfje heeft 6 paar tepels.

tepels

Even voorstellen: de muis

Dekselse knagers!

Graankorrels, zeep, papier, stopverf, kaarsen, niets ontsnapt aan hun vlijmscherpe snijtanden, ook elektriciteitsdraden niet.

Tamme muizen komen oorspronkelijk uit Azië. Vroeger dachten de Egyptenaren dat muizen uit de vruchtbare modder van de Nijl ontstonden, terwijl de Grieken meenden dat ze uit het stof in de huizen werden geboren.

Een kleintje

Muizen behoren tot de kleinste knaagdieren. Hun lijf is ca. 10 cm lang, de schubbige staart ongeveer even lang. Hun gewicht schommelt tussen de 20 en 40 gr. Ze ogen sympathiek met hun slimme oogjes, spitse snuit met lange snorharen en grote vliezige oren.

Hoe oud moet hij zijn?

Je kunt hem vanaf 4 weken in huis nemen. Hoe jonger, hoe makkelijker je hem handtam kunt maken. Een muis wordt zelden ouder dan 3 jaar.

Sterk ontwikkelde zintuigen

Met hun sterke reukzin vinden ze hun voedsel en herkennen ze de leden van hun groep. Dankzij hun grote oren en gevoelige gehoor merken ze het minste gerucht op, zelfs ultrasoon geluid. Hun tastharen om de snuit en op hun lijf leiden hen door het donker en ze sluipen de kleinste schuilplaats binnen. Hun ogen zijn niet al te best.

Een en al lenigheid

Ze kruipen makkelijk door de kleinste gaten en kunnen 30 cm hoog springen, op bijna loodrechte oppervlakken klimmen, over elektriciteitskabels of smalle richels rennen en zo nodig zelfs zwemmen.

De muis kan in het donker over een kabel rennen.

De verschillende soorten

Je hebt ze in talloze kleuren (zwart, blauw, bruin, crème, champagne, gevlekt) en met verschillende haren (kort, lang, gegolfd), maar het meest komen de kortharige, witte laboratoriummuizen voor.

Langharige muis

Kortharige muis

Een of meer?

Als je wilt dat hij zich niet verveelt, neem er dan 2. Twee wijfjes samen is geen enkel probleem, twee mannetjes, dat wordt bijna altijd knokken. Een paartje blijft niet lang kinderloos.

Kijk uit, hij bijt!

Grijp hem bij de onderkant van zijn staart, pak hem dan bij zijn nekvel en zet hem in de holte van je hand. Pak hem nooit onverwacht: hij kan je van schrik bijten.

Een schoon dier

Muizen besteden een groot deel van hun tijd aan het maken van toilet. Eerst maken ze met hun voorpoten zorgvuldig hun gezicht schoon en daarna wassen ze met hun tong en tanden nogmaals hun gezicht en de rest van het lichaam.

Makkelijk tam

Zodra hij in zijn nieuwe omgeving thuis is geraakt, bied je hem je hand aan zodat hij aan je geur kan wennen. Leg daarna wat voedsel in de holte van je hand: hij zal al gauw op je hand klimmen om zijn beloning te incasseren. Maak hiervan gebruik en aai hem zachtjes.

Uitgaansverbod

Laat ze nooit los door het huis lopen, want je vindt ze zelden terug.

De inrichting van de kooi en de voeding

Voor 1 of 2 muizen moet een kooi van 50 cm lang bij 50 cm diep en 40 cm hoog voldoende zijn. De spijlen moeten dicht genoeg op elkaar staan zodat de muis niet kan ontsnappen.

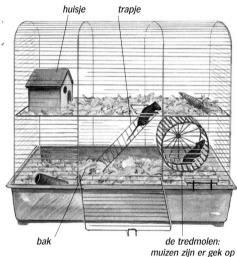

huisje   trapje

bak

de tredmolen: muizen zijn er gek op

Een fervent sporter

Muizen zijn gek op lichamelijke inspanningen. Geef ze daarom verschillende soorten spelletjes (tredmolen, trapje, buizen, een gespannen touwtje). Geen houten speeltjes, want die markeren ze met hun urine. Maak ook een kleine warme schuilplaats waarin de muis kan slapen of kinderen krijgen.

Het diner van een alleseter

Zijn voedsel bestaat in de eerste plaats uit graan (tarwe, haver, gerst, maïs, rijst). Hij houdt ook van vruchten en noten (appel, peer, hazelnoot, walnoot), groenten (andijvie, worteltjes, sla), droog brood, kaas, hardgekookte eieren, melk en vlees.

Deze veelvraat is ook dol op vette etenswaren (spek, bacon, boter), maar geef hem daar niet te veel van. Hij moet altijd vers en schoon water hebben.

Een schone bodem

De urine van muizen verspreidt een scherpe geur. Verschoon de bodem daarom minstens 2 keer per week en bedek hem houtkrullen. Muizen verstoppen zich graag onder de grond. Hoe dikker de laag houtkrullen, hoe blijer ze zijn.

Voortplanting

Muizen planten zich snel voort. Ze zijn na 7 weken geslachtsrijp. De dracht duurt zo'n 20 dagen. Iedere worp telt gemiddeld 6 jongen. Wereldrecord: 32 in één worp. 24 Uur na de bevalling is het wijfje weer loops. Ze kan jaarlijks 15 keer werpen. Weet waaraan je begint als je een stelletje koopt!

Een warm nest voor de jongen

Na de paring maakt moedermuis een nest om haar nakomelingen in te ontvangen. Help haar met stro, hooi, papier of karton. Knip die niet in stukjes, daar zorgt ze zelf wel voor.

1 dag oud

jonkie van 14 dagen

Een muis maakt haar nest klaar

Mannetje of wijfje?

De afstand tussen de anus en de genitale opening is bij het mannetje groter. Het wijfje heeft 5 paar tepels en haar achterste is ronder.

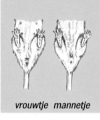

vrouwtje mannetje

Een snelle groei

Vanaf de 3de dag gaan hun oren open en wordt een lichte dons zichtbaar. Op de 6de dag zijn ze met haren bedekt en staan hun oren rechtop. Op de 14de dag breken de snijtanden door en openen de snelste hun ogen. Op de 16de dag verlaten ze hun nest op zoek naar vast voedsel. Na 4 weken zijn ze helemaal zelfstandig.

Niet storen

Normaal bevallen ze 's nachts. De roze kleintjes wegen een paar gram. Ze zijn blind en doof. Nog kaal zijn ze uiterst gevoelig voor kou. Stoor moeder muis niet als ze met haar jongen bezig is, want dan kan ze je bijten.

Moeder muis en haar jongen

Hoe pak je hem op?

Grijp hem nooit onverwachts. Hij kan je dan bijten. Pak hem bij het begin van de staart. Leg daarna je hand voorzichtig op zijn buik. Pak hem nooit beet bij zijn vacht, zijn haren laten makkelijk los. En ook niet aan het puntje van zijn staart, want die is uiterst kwetsbaar.

Een geinig uiterlijk

Ze wegen tussen de 400 en 600 gr. en zijn 40 cm lang, waarvan 10 cm staart. Met hun platte snuit, lange snorharen, grote kale oren en dichte vacht lijken ze op een dikke pluche eekhoorn. Met hun sterk ontwikkelde voorpoten maken ze sprongen van ruim 1 m. Ze kunnen 20 jaar worden en komen in verschillende kleuren voor: blauwgrijs, wit, zwart, beige, crème.

Relletjes-schoppers!

Neem je meerdere chinchilla's, maak dan verschillende schuil-plaatsen in de kooi, zodat ze bij onderlinge knokpartijen een goed heenkomen kunnen zoeken.

Chinchilla's

Vroeger bevolkten ontelbare chinchilla's de hoogvlaktes van het Andesgebergte. Maar toen raakten jassen van chinchilla-bont in de mode, met alle gevolgen van dien. Tegenwoordig zijn ze beschermd: de diertjes die je kunt kopen komen uit fokkerijen.

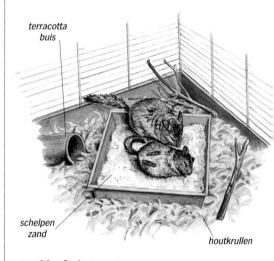

terracotta buis

schelpen zand

houtkrullen

Veel leefruimte

Koop een grote kooi van zeker 75 cm lang bij 75 cm diep en 1,50 hoog. Zet hem op een stille plek. Breng hierin verschillende niveaus aan, zodat je chinchilla zijn acrobatische toeren kan uithalen. Zet er ook een slaaphokje in en dikke terracotta buizen waarin hij zich kan verstoppen. Vul elke dag 1 uur voor je hem eten voert een bak met schelpenzand. In dit zandbad maakt hij zijn vacht schoon. Als bodembedekking zijn houtkrullen ideaal. Verschoon de bak 2 keer per week.

Onder begeleiding

Ze zijn guitig, nieuwsgierig en gevoelig. Overdag slapen ze voornamelijk, maar 's avonds worden ze actief. Ze spelen graag en vinden het heerlijk om vrij rond te rennen. Als ze los lopen moet je ze wel in de gaten houden: ze houden ervan om aan planten, meubelen en snoeren te knagen.

telefoon-
draad

Uitsluitend plantaardig

Hun menu: onbeperkt hooi en 30 gr volkoren korrels. Om de maaltijd te bekronen kun je zonne-bloempitten, walnoten, hazelnoten of droge vruchten erbij geven. Zorg ervoor dat ze hun tanden moeten gebruiken, een knaag-steen, een tak van een wilg of een populier. Geef ze 's ochtends het hooi en de rest van de maal-tijd 's avonds. Hoewel ze niet veel drinken, moeten ze wel altijd vers water hebben. Geef nooit snoepgoed.

walnoot

Echtelijke twisten

Chinchilla's zijn na 8 maanden geslachtsrijp. Het soms zeer agres-sieve wijfje is meestal de baas. Zorg dat het mannetje weg kan vluchten in geval van een echtelijke twist.

hooi

wilgentak

Goed ontwikkelde baby's

De voorplanting vindt plaats tussen november en mei. De wijfjes kunnen 2 keer per jaar bevallen. Na een dracht van 120 dagen zet ze 1 tot 5 jongen op de wereld. Deze wegen tussen de 30 en 60 gr, hebben een vacht en kunnen zien. Ze kunnen vrijwel meteen lopen. Na 2 maanden zijn ze zelfstandig.

Moeder chinchilla
met jong

baby
chinchilla

De wangzakeekhoorn

Een vooruitziende geest

Eekhoorns hebben net als de hamster wangzakken waarin ze voedsel opslaan en naar hun hol brengen.

wangzakken

Boomeekhoorns leven en nestelen in de bomen. Grondeekhoorns als de wangzakeekhoorn graven een hol in de aarde. Een andere soort, de 'vliegende' eekhoorn, kan honderden meters lang van boom naar boom zweven.

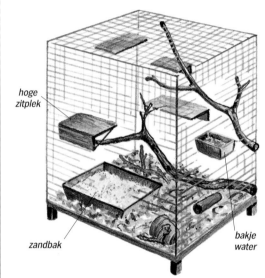

hoge zitplek

zandbak

bakje water

Echte acrobaten

In het wild zijn ze heel actief en graven naar hartelust holen of klimmen in bomen. Geef ze een grote kooi van zeker 1 m lang bij 80 cm diep en 1,50 m hoog en met zitplekken op verschillende hoogtes, trappetjes, dikke takken, een huisje om in te slapen en een zandbak om toilet te maken. Als bodembedekking zijn houtkrullen ideaal. Eekhoorns zijn heel schoon en kunnen een hele week met dezelfde bak doen.

Een sympathiek uiterlijk

Hun lijf is ca. 15 cm lang en eindigt in een iets kortere dikbehaarde staart. Ze wegen zo'n 100 gr. Bij hun spitse snuitje groeien dunne snorharen. Ze hebben grote donkere ogen en kleine korte, afgeronde oortjes. Zicht en gehoor zijn uitstekend. Over de grijsbruine rug lopen 5 donkerbruine lengtestrepen en de flanken zijn geelgrijs. Ze kunnen twaalf jaar oud worden.

Winterslaap

In een buitenkooi houden eekhoorns van oktober tot april een winterslaap. In deze periode worden ze geregeld wakker om iets van de voorraad te eten en hun behoefte te doen.

donkerbruine streep

Voorzichtig oppakken

Van alle knaagdieren zijn de wangzakeekhoorns het minst huiselijk. Ze zijn schuw en bijten snel. Trek iedere keer dat je hem wilt oppakken leren handschoenen aan. Grijp hem voorzichtig tussen duim en wijsvinger bij zijn kop of nekvel. Pak hem nooit bij zijn staart: die laat misschien los. Kun je hem niet met de handen pakken, gebruik dan een vlindernet.

Liefhebbers van nootjes

Hun voeding bestaat uit nootjes (eikels, walnoten, hazelnoten, pijnappelpitten), graankorrels (maïs, zonnebloem, tarwe), vers fruit (appels, peren, kersen) en bloemknoppen. Ze mogen ook zo nu en dan een hardgekookt ei, rauw vlees, meelwormen en insecten (sprinkhanen) hebben.

zonnebloempitten

nootjes

Mannetje of wijfje?

De afstand tussen de anus en de genitale opening is bij het mannetje groter (ca. 5 mm). Bij een volwassen eekhoorn zijn tijdens de paringstijd de testikels duidelijk zichtbaar.

Een seksuele laatbloeier

Eekhoorns zijn pas na 1 jaar geslachtsrijp. De gunstigste tijd voor de paring strekt zich uit van maart tot april. Na 35 dagen zwangerschap schenkt moeder eekhoorn het leven aan 3-5 naakte en blinde jongen. Omstreeks de 20ste dag openen de jongen hun ogen. Na 5 weken zijn ze zelfstandig en verlaten het nest.

Pasgeboren baby's

vers fruit

Een solitair dier

Wangzakeekhoorns zijn vooral overdag actief. Ze zijn solitair en niet erg gesteld op gezelschap, zelfs niet van de andere sekse. Hoe eerder het paartje elkaar leert kennen (vanaf 6 weken), hoe beter ze met elkaar kunnen opschieten.

Heel schoon op zichzelf

Om je woestijnrat zijn hol te kunnen laten graven, bedek je de bodem met een zeker 5 cm dikke laag houtkrullen. Omdat hij maar weinig urineert, hoef je deze laag slechts één keer in de 15 dagen te vervangen.

Een opvallend uiterlijk

Met hun dikke kop, grote donkere ogen, kleine oortjes en snuit met lange snorharen zijn de woestijnratten makkelijk herkenbaar. Hun gewicht schommelt tussen de 60 en 100 gr. Het ineengedoken lijf is 10 cm lang, de staart met een donkerharig toefje aan de punt ietsje korter. In de natuur dient dit 'vegertje' om de aandacht van roofdieren af te leiden. Met hun grote voeten en gespierde lange benen kunnen ze sprongen van 3 m maken.

Woestijnratten

Woestijnratten zijn knaagdiertjes uit de steppen en woestijnen van Mongolië en het noorden van China. Ze kunnen 4 jaar worden.

Gevlekte woestijnrat

Een zijdeachtige vacht

De meest voorkomende soort heeft een kortharige, zijdeachtige vacht, een witte buik en een lichtkastanjebruin tot donkerbruin lijf. Er zijn ook andere variëteiten: met witte vlekken, wit met rode oogjes (albino), zwarte en zelfs onbehaarde.

Kijk uit voor nattigheid

Om hem op zijn gemak te laten voelen moet je een kooi nemen die minstens 60 cm lang is, 40 cm diep en 35 cm hoog. Woestijnratten zijn droogte gewend. Vermijd te natte plekken (keuken, badkamer) en zet 2-3 keer per week een volle bak zand in de kooi, want ze nemen maar wat graag een zandbad. Zorg ook dat ze een schuilplaats hebben.

Aangepast aan een droge omgeving

In het wild graven woestijnratten een hol of slapen ze in de schuilplaats van roofdieren en hamsteren voedsel. Aan het begin van de avond gaan ze op zoek naar eten. Ze zweten niet en drinken vrijwel niets.

Wel graankorrels, geen zonnebloempitten

Hun dieet bestaat uit granen (olienoten, tarwe) en bladgroente (sla, spinazie, klaver, luzerne, klaver). Voer ze daarnaast worteltjes, appels, brood en meelwormen. Ze zijn verzot op zonnebloempitten, maar die mag je ze niet geven. Die zijn te vet. Ze moeten wel altijd schoon water hebben.

De liefde van een knaagdier

Ze zijn gehoorzaam en makkelijk tam te krijgen. Ze bijten vrijwel nooit, behalve als ze bang zijn. Let op, als de woestijnrat met zijn poten op de grond hamert, is hij ergens van geschrokken.

Voorzichtig oppakken

Vang hem bij het begin van zijn staart en sla voorzichtig je vingers om hem heen. Maak geen onverwachte bewegingen. Hij is nogal lichtgeraakt. Pak hem nooit aan het puntje van zijn staart: grote kans dat die loslaat!

Alleen is niet leuk

Woestijnratten leven graag samen, als paartje, maar ook in een groter gezelschap. Ze zijn heel trouw en een paartje blijft bij elkaar tot de dood hen scheidt.

Een kroostrijk dier

Woestijnratten zijn na 3 maanden geslachtsrijp. De voortplanting vindt het hele jaar door plaats. De dracht duurt zo'n 25 dagen. Een koppel kan dus 1 keer per maand werpen! Gemiddeld bestaat iedere worp uit 5 jongen (1-12). Met 16 dagen openen de baby's hun ogen. Na 3 maanden zijn ze zelfstandig.

Huisje van een kokosnoot

❶ *Zaag een kokosnoot doormidden.*

❷ *Zaag in 1 helft een ronde opening van 5 cm.*

❸ *Draai de 2de helft om en plak hem vast aan de spitse kant van de 1ste.*

❹ *Leg er een beetje stro in waarop je vriendjes kunnen liggen.*

Speeltjes

In je vrije uurtjes kun je zelf speeltjes voor je vrienden maken. Hou je aan 2 regels: gebruik alleen onbewerkt hout en zet de speeltjes in elkaar met niet giftige lijm.

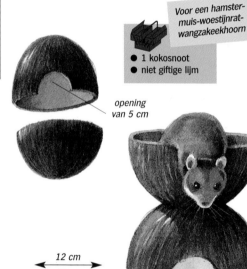

Voor een hamster-muis-woestijnrat-wangzakeekhoorn

● 1 kokosnoot
● niet giftige lijm

opening van 5 cm

Kubus met gaten

❶ *Zaag uit een plank 6 vierkantjes van 12 bij 12 (voor een rat 15 bij 15)*

❷ *Maak in iedere zijde een rond gat van 5 cm.*

❸ *Maak van de 6 zijden een kubus.*

12 cm

12 cm

Voor een hamster-muis-woestijnrat-wangzakeekhoorn. Voor een rat gelden andere maten.

● 1 grote plank
● niet-giftige lijm

Een boomstam met gangen

Neem een blok hout van 10 cm doorsnee (15 voor een rat) en boor er meerdere gangen van 5 cm in (voor een rat 7 cm) die dwars door de stam lopen.

boomstam

gang

● 1 blok hout

Voor een hamster-muis-woestijnrat-wangzakeekhoorn.

Een muizenpiramide

❶ *Zaag 3 houten driehoeken van 24 cm aan de onderzijde en 24 hoog.*

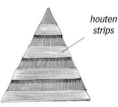

houten strips

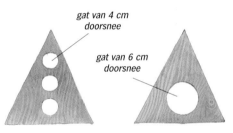

gat van 4 cm doorsnee

gat van 6 cm doorsnee

❷ *Lijm aan de 1ste driehoek om de 3 cm houten strips vast.*

❸ *Maak in de 2de vanaf de onderzijde om de 2 cm 3 gaten van 4 cm doorsnee.*

❹ *Zaag uit de 3de een cirkel van 6 cm, waarvan het midden 7 cm boven de onderzijde zit.*

❺ *Voordat je de driehoeken aan elkaar zet, schuif je een touwtje aan de binnenkant van de piramide die je er in de bovenste punt weer laat uitkomen. Bij het vastplakken van de ene kant tegen de andere zet je ook het touwtje vast.*

Alleen voor de muis

● houten plankjes
● houten strips
● stukje touw
● niet-giftige lijm

Index

Oorspronkelijke titel: *Un hamster à la maison*, collection *Carnets de nature*
© 2001 Editions MILAN
300 rue Léon Joulin 31101 Toulouse - Frankrijk

Vertaling: Wim Sanders
Opmaak Nederlandse editie: Interlink-Groep, Oud-Beijerland

ISBN 90 5483 371 8
NUR 242
52389